손녀

박지연 지음

손녀

박지연 지음

■ 청소년 작가 프로젝트란?

　　청소년작가를 발굴하고, 책을 출판하는 프로젝트입니다. '글쓰기'라는 별이 사라지지 않고 계속 자랄 수 있도록 청소년을 중심으로 1인1사람책쓰기 수업을 하며 그들은 다양한 상상을 통해 별은 빛나고, 작가의 꿈을 키우며 반짝이는 별이 됩니다. 나를 탐색하고, 자료를 수집하고, 나의 관심 분야를 발견하는 1인1사람책쓰기 수업은 그들만의 별이 되어 세상으로 나오면 희망이 됩니다.

　　국어교사로 14세에서 18세까지 청소년을 가르치며, 그들만의 기억을 담아 온전한 책으로 편집하는 과정이나 책표지 디자인을 하는 과정에 집중하는 동안 성숙하는 기쁨을 경험하게 됩니다. 청소년 작가뿐만 아니라 또래 청소년들에게까지 긍정적 영향을 미치게 하여 청소년 글쓰기 문화가 널리 보급되는 효과도 있습니다. 책으로 출판 과정은 청소년 작가의 의사를 전적으로 반영합니다.

이 프로젝트를 통해 많은 청소년이 글쓰기라는 별을 빛낼 기회를 가질 수 있기 바랍니다.

청소년기의 꿈과 희망은 대학입시라는 거대한 장벽 아래 묻히기 일쑤입니다. 하지만 그들만이 지닐 수 있는 바람직한 모습들과 소중한 시간은 되돌아오지 않습니다. 결국 청소년 시기에만 빛날 수 있던 별들이 바래고, 성인이 되면 어느샌가 잊혀 영원히 사라지기도 합니다.

이 시기의 별이 사라지지 않고 계속 자랄 수 있도록 물을 주고, 청소년들이 글쓰기라는 별을 빛낼 수 있는 기회를 마련하고자 합니다.

- 1인1사람책쓰기 프로젝트 기획 전신자 선생님

목차

손녀

박지연 지음

1. 명절

보글보글

달그락
　달그락

쏴아아아

쏙싹쏙싹

싹둑

통통

통통

지글지글

보글

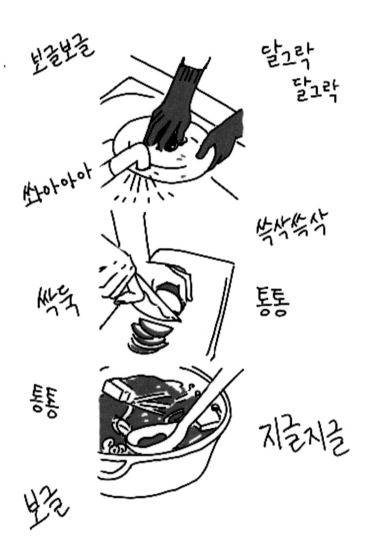

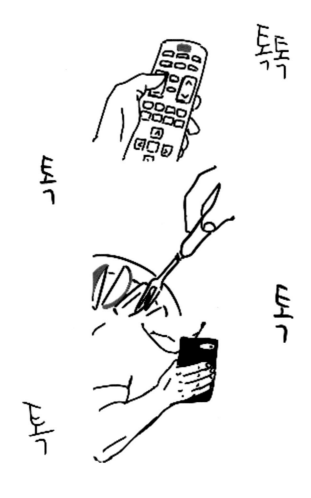

흰밥

갈비찜

잡채

감사합니다... 근데

굳이?

그냥 저기서 밥
먹으면 안되나?

손녀

2. 차이

콰
ㅇ

3. 이해

자신의 의견을 | 당당 하게

쾅!

이상하다

책이랑 세상이

달라

어른들 말이

늘

맞는건아닌가봐

할머니도
나랑 같은 손을
가졌을 때가
있었을텐데

어떻게
그렇게 쎄쪘을까?

쎄질 때마다
주름이 생기나?

할머니는 갈비를 싫어하나?

암탉이 울면 집안이 망한다?

암탉이 울면 집안이 망한다

여자와 북어는 사흘에 한번씩 패야 제 맛이다.

할머니랑 나는
다른 삶을 산게
맞네...

수도꼭지가 없으면
찬물에서

설거지
빨래

요리
불때기
바느질
청소

난 아직도
갈비 없는
빨간 식탁이,

내 허벅지를
꼬집던 할머니가,

이해가
가지 않지만

깨달음

할머니
내가 한발짝
다가갈게 !

시간이 지나면서

할아버지는
돌아가셨고

나랑 선우는
조금 더 자랐다.

(다른 오빠언니들도)

그럼에도
빨간식탁은
자리를 지켰다.

이제는 허벅지에 상처가 날 괴롭히기 위함이 아니라

날 지키기 위함인 것을 이해한다.

근데 할머니는 왜 아직 그 전통을 유지 하는걸까?

할머니의 이야기

할머니는 사랑받는
막내로 태어나

스물세살에 결혼 후

5명의
아이를
출산했다

할아버지가 못된
사랑은 아니었지만

남자가 집안일을 하면
안된다는 교육 때문에

물좀주쇼.

아이고
서러워라

물을 떠다
주지
않으셨다.

나는 12살에
일본해방해서

일본학교도 3학년
까지밖에 못다니고

그랬응께

너는 하고싶은거
공부 착실히 하고
좋은 사람 되어
살아야써.

옛날에는
하란대로,
시키는대로
했지.

너는
하고싶은거,
주저말고했으면
한다.

달라짐

옛날에는
점잖아보이지
않는다고 사진에서
웃지않도록 교육했다

이제는
브이도
하신다

통화를 끊을 때
" 끊어~ "

"사랑해요~"
하면 민망해
하시며 후다닥
끊으셨는데

이제는 회관에서
"나도
사랑해~
해주신다.

책에서는 간축려져 그려졌지만 나는 한동안 할머니를 미워했다.

사투리는 어렵지, 허벅지는 자꾸 꼬집히지, 명절날이 싫어지기만 했었다.

세대차이와 문화차이는 우리가 넘어야 할 큰 벽이였다.

역사를 배우고,
가족에게 관심을
가지기 시작하며
할머니의 이야기가
자연스럽게 들렸다.

학창시절
할머니는
어땠을까?

크게 대단한건
없었고,

전화
자주하고

할머니

할머니 생각하고

손전등
사드려야지

소식 전하는 등…
이었다.

할머니
나 상탔어!

94

중학교, 고등학교에
입학했다.

할머니는

그 자리에 계속
계셔주셨다.

작가의 말

이야기 안에서, 그리고 내 안에서 일어난 나의 성장을 이야기하고자 합니다.

빨간식탁은 이제 할머니와 주인공의 연결고리가 되었습니다. 우리의 과거는 현재와 미래를 생각하는 방식에 영향을 줍니다.

'풍습'이라는 것은 과거에만 필요한 것이 아닌 우리를 현재에 적응하게 도와주고 미래를 발전하게 만들어주는 것임을 말하고 싶었습니다. 주인공의 혼란이 공감으로 바뀐 것처럼, 우리의 삶에 '풍습'이라는 것은 하나의 문화이고, 삶이 됩니다. 이 이야기가 독자의 가족 간 이해를 높이고, 가능하다면 가족과의 대화까지 도움 줄 수 있기를 바랍니다.

책을 읽어주셔서 감사합니다.

손녀

발 행 | 2023년 11월 20일

저 자 | 박지연

펴낸이 | 한건희

펴낸곳 | 주식회사 부크크

출판사등록 | 2014.07.15(제2014-16호)

주 소 | 서울특별시 금천구 가산디지털1로 119 SK 트윈타워 A동 305호

전 화 | 1670-8316

이메일 | info@bookk.co.kr

ISBN | 979-11-410-5120-4

www.bookk.co.kr

손녀